# Cenicienta

Este libro pertenece a

------------------------------------

Edad _____

Spanish
JE
F

Puede consultar nuestro catálogo en www.edicionesobelisco.com
www.picarona.net

Cenicienta
Texto: *Nina Filipek*
Ilustraciones: *Jacqueline East*

1.ª edición: octubre de 2015

Título original: *Cinderella*

Traducción: *Raquel Mosquera*
Maquetación: *Marta Rovira Pons*
Corrección: *M.ª Jesús Rodríguez*

© 2013, Ginger Fox Ltd.
Título original publicado por Milly & Flynn®,
sello editorial de Ginger Fox, Ltd.
(Reservados todos los derechos)
© 2015, Ediciones Obelisco, S. L.
(Reservados los derechos para la lengua española)

Edita: Picarona, sello infantil de Ediciones Obelisco, S. L.
Pere IV, 78 (Edif. Pedro IV) 3.ª planta, 5.ª puerta
08005 Barcelona - España
Tel. 93 309 85 25 - Fax 93 309 85 23
E-mail: picarona@picarona.net

ISBN: 978-84-16117-43-7
Depósito Legal: B-8.153-2015

*Printed in China*

# Cenicienta

Érase una vez una muchacha llamada
Cenicienta que vivía con su madrastra
y sus dos feas hermanastras.

La madrastra y las hermanastras de
Cenicienta eran crueles. La obligaban a
hacer todas las tareas de la casa mientras
ellas no hacían nada.

La llamaban «Cenicienta» porque dormía entre los rescoldos y las cenizas del fuego.

Cenicienta se vestía con harapos y zuecos, mientras que sus hermanastras lucían hermosos vestidos.

Un día, cada una de las muchachas recibió una invitación para el baile del apuesto príncipe. Cenicienta se puso muy contenta al enterarse del baile, pero su madrastra dijo:

—¡No tienes permiso para ir al baile, Cenicienta!

—¡Pero tendrás
que ayudar a tus
hermanastras a
prepararse!

El día del baile llegó y las feas hermanastras se estaban vistiendo.

—¡Tráeme esto, Cenicienta!

—¡Tráeme aquello, Cenicienta! –decían las feas hermanastras.

Cenicienta deseaba poder ir al baile con ellas. Se sentía muy triste y empezó a llorar.

Cuando se fueron, Cenicienta siguió llorando,
¡pero entonces sucedió algo mágico!
El hada madrina de Cenicienta apareció.

—No llores, Cenicienta.
¡Irás al baile!

—dijo el hada.

—Tráeme una calabaza del huerto, dos ratones blancos del sótano y una rata del patio.

Cenicienta lo encontró todo y lo puso en el suelo. El hada madrina agitó su varita mágica. En un instante, la calabaza se convirtió en una brillante carroza, los ratones en dos magníficos caballos y la rata en un elegante cochero.

Entonces, con un toque de su varita mágica,
¡el hada madrina convirtió los harapos de
Cenicienta en un vestido de fiesta digno
de una princesa! Sus zuecos de madera se
convirtieron en unos delicados zapatos de
cristal y Cenicienta estaba lista para ir al baile.

—Disfruta del baile, Cenicienta.
Pero debes estar en casa
antes de que el reloj toque las doce
¡porque el hechizo se romperá
a medianoche!

—advirtió el hada
madrina.

Cuando Cenicienta
llegó al baile, estaba
tan hermosa que las
feas hermanastras
no la reconocieron.

Todos se preguntaban
quién era esa encantadora
muchacha.

El apuesto príncipe
bailó cada uno de
los bailes con ella
y Cenicienta nunca
había sido tan feliz.

Pero pronto serían las doce.

17

Cuando el reloj
empezó a sonar,
Cenicienta
recordó lo
que el hada
madrina había
dicho y salió corriendo de la sala.

El apuesto príncipe corrió tras ella, pero todo lo
que encontró fue un zapato del cristal. ¡Mientras
se alejaba corriendo, el vestido de fiesta de
Cenicienta se convirtió de nuevo en harapos y la
carroza en una calabaza!

Los ratones blancos
corretearon hacia el
sótano y la rata los
siguió hasta el patio
de la casa.

La mañana después del baile, el apuesto
príncipe estaba decidido a encontrar
a la muchacha a quien le sirviera
el zapato de cristal.

No sabía su nombre pero sí sabía que la
amaba.

El príncipe iba a visitar todas las casas
del reino en busca de su princesa.

Buscó por todas partes sin éxito,
hasta que finalmente llegó a casa
de Cenicienta.

Las feas hermanastras se probaron el zapato de cristal.

Intentaron una y otra vez meter sus dedos en el delicado zapato, pero sus pies eran demasiado grandes.

—¿Tiene alguna otra hija? –preguntó el apuesto príncipe a la madrastra de Cenicienta.

# —¿Se refiere a Cenicienta?

-rieron las feas hermanastras.

—¡Pero si
   sólo lleva
      zuecos de madera!

Llamaron a Cenicienta para
que saliera de la cocina.
Ella metió el pie en el zapato de cristal,

¡y cabía perfectamente!

—¡Por fin he encontrado a mi princesa!»,

–dijo el apuesto príncipe.

El apuesto príncipe llevó rápidamente a Cenicienta de vuelta a su palacio donde vivieron felices por siempre.

Y las feas hermanastras, ¡estaban **verdes** de envidia!

# ¿Verdadero o falso?

Ahora que has leído el cuento,
¿puedes contestar a estas preguntas
correctamente?

1. Las feas hermanastras
eran crueles con Cenicienta.

¿Verdadero o falso?

2. Los ratones se convirtieron
en dos calabazas.

¿Verdadero o falso?

3. La rata se convirtió
en un cochero.

¿Verdadero o falso?

4. El hechizo se rompió
a medianoche.

¿Verdadero o falso?

5. El zapato le servía perfectamente
a las feas hermanastras.

¿Verdadero o falso?

# ¿Quién es quién?

Basándote en lo que están diciendo, ¿puedes adivinar a qué personaje del cuento pertenece cada bocadillo?

Solía dormir entre los rescoldos y las cenizas junto al fuego. ¿Quién soy?

Todavía llevaba mi sombrero de chófer mientras escapaba del baile del príncipe. ¿Quién soy?

Busqué por todas partes para encontrar a mi princesa. ¿Quién soy?

Cenicienta debía ayudarnos a prepararnos para el baile. ¿Quiénes somos?

Ojalá una de mis hijas se hubiera casado con el príncipe. ¿Quién soy?

¡Corría alegremente en el jardín del príncipe al final del cuento! ¿Quién soy?